COLLE

C000175659

Jean Genet

Haute
surveillance

(nouvelle version)

Gallimard

Jean Genet est né à Paris le 19 décembre 1910, de père inconnu. Sa mère l'abandonne à l'Assistance publique. Placé chez des paysans du Morvan, il connaît la maison de correction dès l'âge de seize ans. Après avoir mené une existence vagabonde à travers l'Europe et connu plusieurs fois la prison, il écrit : le poème *Le condamné à mort* (édité en 1942 avec pour seule mention d'origine : « Fresnes »), les romans *Notre-Dame-des-Fleurs* et *Miracle de la rose* (1942-1945), la pièce *Les bonnes*, créée au théâtre de l'Athénée en 1947, dans une mise en scène de Louis Jouvet. L'année suivante, à la suite d'un délit mineur, il risque d'être condamné à la relégation. Jean Cocteau, Jean-Paul Sartre et d'autres écrivains demandent sa grâce au président de la République, et l'obtiennent. Jean Genet fait paraître en 1949 *Haute surveillance* et *Journal du voleur*. Les Editions Gallimard commencent à publier ses œuvres complètes ; le tome I est composé de la « préface » de Jean-Paul Sartre : *Saint Genet, comédien et martyr*. Genet revient au théâtre en 1956 avec la publication du *Balcon*, suivent *Les nègres* (1960) et *Les paravents* (1961, créé au Théâtre de France en 1965 dans une mise en scène de Roger Blin).

Jean Genet est mort en 1986, après avoir revu les épreuves de sa dernière œuvre, *Un captif amoureux*.

La première version de *Haute surveillance* a été publiée en 1949, et rééditée en 1965 avec des corrections.

Jean Genet en a remanié le texte en août 1985 en vue de la présentation de cette nouvelle version dans une mise en scène de Michel Dumoulin. C'est cette dernière version qu'il souhaitait voir publiée et représentée à l'avenir.

LES PERSONNAGES

YEUX-VERTS, vingt-deux ans (les pieds enchaînés).

MAURICE, dix-sept ans.

LEFRANC, vingt-trois ans.

LE SURVEILLANT, vingt-cinq ans.

LE SURVEILLANT GÉNÉRAL ET SA SECTION (plusieurs surveillants).

LE DÉCOR : *une cellule de forteresse.*

L'intérieur de la cellule en maçonnerie, dont les pierres taillées sont apparentes, doit faire supposer à la prison une architecture très compliquée. Au fond, un vasistas grillé dont les pointes sont dirigées vers l'intérieur. Le lit est un bloc de granit où s'entassent quelques couvertures. A droite, une porte grillée.

Quelques indications :

Toute l'action se déroulera comme dans un rêve. Donner aux décors et aux costumes (bure rayée) des couleurs violentes. Choisir des blancs et des noirs très durs. Les acteurs essayeront d'avoir des gestes lourds ou d'une extrême fulgurité et incompréhensible rapidité. S'ils le peuvent, ils assourdiront le timbre de leur voix. Eviter les éclairages savants. Le plus de lumière possible. Le texte est établi dans le français habituel des conversations et orthographié exactement, mais les acteurs devront le dire avec ces altérations qu'y apporte toujours l'accent faubourien. Les acteurs marchent silencieusement, sur des semelles de feutre. Maurice est nu-pieds.

Chaque fois que Maurice parle de Yeux-Verts, il dira : Zieux-Verts.

YEUX-VERTS

Boule de Neige, il m'accompagne, m'encourage. Ensemble on ira à Cayenne, si l'on s'en tire et si je passe sous le couteau, il m'y suivra. Qu'est-ce que je suis pour vous ? Vous croyez que je ne l'ai pas deviné. Dans la cellule c'est moi qui supporte tout le poids. De quoi je ne sais pas. Je suis illettré, il me faut des reins solides. Comme Boule de Neige supporte la même charge pour toute la forteresse, il y en a peut-être un autre, le Caïd des Caïds qui la supporte pour le monde entier. Vous êtes fous !

Vous êtes deux fous. Moi, d'un seul coup de poing je vous calme, je vous allonge sur le ciment. *(A Lefranc :)* Une seconde de plus et Maurice y passait. Méfie-toi de tes mains, Jules. Ne joue pas les terreurs et ne cause plus du nègre.

LEFRANC, *violent*.

C'est lui...

YEUX-VERTS, *sec*.

Toi. *(Il lui tend un papier.)* Continue la lecture.

LEFRANC

Il n'a qu'à se taire.

YEUX-VERTS

C'est toi Jules. Laisse-nous tranquilles. Avec Boule de Neige, c'est fini.

Lui ni les gars de sa cellule ne s'occupent de nous. (*Il écoute.*) Dans un quart d'heure, ce sera mon tour. (*Silence.*) Les visites sont commencées.

> *Il se promènera durant la scène qui suit sans s'interrompre, dans la cellule.*

MAURICE, *désignant Lefranc.*

Il installe le désordre, jamais on ne s'entendra avec lui. Il n'y a que Boule de Neige.

LEFRANC, *violent.*

Lui-même. Le nègre a un peu d'autorité. C'est un noir, un sauvage...

MAURICE

Personne... (*Il laisse le mot en suspens.*)

15

LEFRANC, *après un temps
et comme pour soi-même.*

Un sauvage, un noir qui jette des éclairs, Yeux-Verts...

MAURICE

Quoi ?

LEFRANC, *à Yeux-Verts.*

Yeux-Verts ? Boule de Neige, il t'écrase.

MAURICE

Tu recommences ? Ce matin en rentrant de la promenade, il t'a envoyé un sourire.

LEFRANC

A moi ?

16

MAURICE

On n'était que tous les trois. C'est au gardien, ou à l'un de nous.

LEFRANC

A quel moment ?

MAURICE

Juste avant — tu t'y intéresses ? — l'arrivée au rond-point du centre. Oh ! léger sourire. Il était essoufflé par les quatre étages.

LEFRANC

Tu en conclus ?

MAURICE

Dans la cellule, c'est toi le désordre.

17

Boule de Neige, c'est un gars qui ronfle et vous n'existez plus. Il fait de l'ombre. Personne ne peut le détruire, aucun détenu l'éteindre. C'est un vrai dur qui revient de loin.

MAURICE

On ne doit pas y retoucher, mais qui dit le contraire ? Boule de Neige, c'est un gars bien bousculé. Si tu veux, ce serait Yeux-Verts passé au cirage.

LEFRANC

Yeux-Verts n'y résiste pas !

MAURICE

Et les réponses de Yeux-Verts aux inspecteurs ?

Boule de Neige ? Il est exotique. Il est noir et il éclaire les deux mille cellules. Personne ne pourra l'abattre. C'est lui le seul chef de la forteresse et tous les gars de sa bande sont plus terribles que lui. (*Il désigne Yeux-Verts.*) Suffit de le voir marcher...

MAURICE

Yeux-Verts s'il veut...

LEFRANC

Mais lui voir traverser les couloirs, les kilomètres, les kilomètres, les millions de kilomètres de couloirs, avec ses chaînes, Boule de Neige, c'est un roi. S'il arrive du désert, il en arrive debout !

YEUX-VERTS, *s'arrêtant*
et le regard très doux.

A la forteresse, il n'y a plus de monar-
que, Boule de Neige pas plus qu'un
autre. Jules ça suffit. Ne croyez pas qu'il
m'en impose, ses crimes c'est peut-être
du vent !

LEFRANC

Quel vent ?

MAURICE, *à Lefranc.*

On ne l'interrompt pas. (*Ecoutant à la
porte.*) Les visites s'approchent. Ils en
sont à la 38.

YEUX-VERTS

Un vent coulis. Ses crimes, je ne les
connais pas...

20

LEFRANC

L'attaque du train d'or...

YEUX-VERTS, *toujours cassant.*

Je ne les connais pas. J'ai les miens.

LEFRANC

Tu n'en as qu'un.

YEUX-VERTS

Si je dis « mes crimes », je sais ce que
je veux dire. Mes crimes. Et qu'on n'y
touche pas, je deviens dangereux. Qu'on
ne m'excite pas. Je te demande une
chose, c'est de me lire la lettre de ma
femme.

LEFRANC

Je l'ai lue.

21

Qu'est-ce qu'elle dit encore ?

LEFRANC

Rien. J'ai tout lu !

YEUX-VERTS, *il montre un passage de la lettre.*

Là tu ne lis pas.

LEFRANC

Tu n'as pas confiance ?

YEUX-VERTS, *obstiné.*

Mais là ?

LEFRANC

Là quoi ? Dis-moi ce que c'est.

22

Jules, tu profites de ce que je sois illettré.

LEFRANC

Reprends le papier si tu doutes de moi. Et n'espère plus que je te lise les lettres de ta femme.

YEUX-VERTS

Jules, tu me nargues. Prépare-toi pour une corrida joyeuse dans la cellule.

LEFRANC

Tu me fatigues, Yeux-Verts. Tu crois peut-être que je te fais des charres avec elle. Je suis régulier. N'écoute pas ce que te dit Maurice. Il nous excite l'un contre l'autre.

MAURICE, *narquois*.

Moi ? Le gosse le plus tranquille...

YEUX-VERTS, *à Lefranc.*

Je prétends que tu te fous de moi !

LEFRANC

Alors ! Ecris ta lettre tout seul.

YEUX-VERTS

Belle salope !

MAURICE, *doucement.*

Oh ! Yeux-Verts, ne fais pas de bruit.
Ta souris, tu la reverras. Tu es trop beau
gosse. Où veux-tu qu'elle aille ?

YEUX-VERTS, *après un long silence.*

Salope !

MAURICE

Ne te frappe pas. Jules est un mysté-
rieux et tu l'impressionnes.

24

Ce qu'il y a dans la lettre, je vais te le dire. Ta femme sera au parloir tout à l'heure, demande-lui la vérité. Tu veux que je lise ?

Yeux-Verts ne répond ni ne bouge.

Ta femme s'est aperçue que ce n'était pas toi qui écrivais. Maintenant, elle suppose que tu ne sais ni lire ni écrire.

MAURICE

Yeux-Verts peut se payer un écrivain.

LEFRANC

Tu veux que je lise ? *(Il lit :)* « Mon chéri, j'ai bien reconnu que ce n'était pas toi qui pouvais me faire ces belles phrases, mais j'aime mieux que tu m'écrives comme tu peux... »

Lope !

LEFRANC

Tu m'accuses ?

YEUX-VERTS

Lopette ! Tu t'es arrangé pour lui faire croire que les lettres étaient de toi.

LEFRANC

J'ai toujours écrit ce que tu me disais.

MAURICE, *à Lefranc*.

Tout savant que tu es, Yeux-Verts peut encore t'abîmer. Monsieur travaillait en secret.

LEFRANC

N'envenime pas, Maurice. Je n'ai pas cherché à l'humilier.

Parce que je suis analphabète ? Ne crois pas cela. Quand tu prétends que le nègre est un gars plus dangereux, les nègres, moi... (*Il fait un geste obscène.*) Et alors, qu'est-ce qui t'empêchait de lire ? Réponds. Tu prépares l'approche de ma femme. Parce qu'en sortant d'ici, dans trois jours, tu vas la rejoindre ?

LEFRANC

C'était pour ne pas te gêner. Yeux-Verts tu ne me croiras pas, je te l'aurais dit, mais (*Il désigne Maurice*) pas devant lui.

YEUX-VERTS

Pourquoi ?

MAURICE

Moi ? Il fallait t'expliquer. Je vous gêne mais je peux encore m'évanouir dans le brouillard. Je suis le gosse qui passe à travers les murs, c'est vu et c'est connu. Non, non, Jules, tu nous racontes des histoires. Avoue que tu voulais sa femme, là on te croira.

LEFRANC, *violent*.

C'est à cause de toi que tout va mal, à cause de tes enfantillages. Tu es pire qu'une dame.

MAURICE

Ne te gêne pas, je suis le plus faible ; passe tes colères sur moi. Depuis huit jours, tu déclenches des bagarres et tu perds ton temps. Mon amitié avec Yeux-Verts, je me charge de la défendre.

LEFRANC

Vous ne me permettez plus d'exister.

28

MAURICE

Tout à l'heure quand tu m'as pris au col, tu espérais me laisser sur le ciment. Je devenais violet, et sans Yeux-Verts, j'y passais. C'est à lui, c'est à Yeux-Verts que je dois la vie. *(Avec une incommensurable solennité :)* Reconnaissance éternelle. *(La main gauche sur le cœur, Maurice s'incline très bas devant Yeux-Verts.)* Heureusement que tu t'en vas. On sera tranquilles.

LEFRANC

Ne parle pas de ça, Maurice.

MAURICE

Tu vois ? Tu vois, Jules, je ne peux pas dire un mot. Tu voudrais nous réduire à zéro, Yeux-Verts et moi. Non, Jules Lefranc.

LEFRANC

Je m'appelle Georges.

MAURICE

On a l'habitude de t'appeler Jules. Tu
devrais nous prévenir au lieu de te vexer.

LEFRANC

Je fais ce que je dois.

MAURICE

A qui ? Nous, nous restons enfermés,
ce que tu nous dois, c'est le respect. Tu
complotes. Tout seul. Parce que tu es
seul, n'oublie pas.

LEFRANC

Et toi ? Qu'est-ce que tu fais avec tes
gestes ? Autour de lui, autour des gardiens ? Essaye de les embobiner, mais tu

30

ne m'auras pas. Si je t'ai raté tout à l'heure, c'est à cause de tes grimaces. Tu leur dois la vie plus qu'à Yeux-Verts. J'ai eu pitié, mais tu y passeras, avant mon départ.

MAURICE

Fais le méchant, Jules. Profites-en pendant que je te regarde. Tout à l'heure tu as cherché à me supprimer mais il y a des nuits que tu me refiles tes couvertures. Tu as peur que j'aie froid ou tu veux que j'aie la fièvre. Je m'en suis aperçu il y a longtemps. Yeux-Verts m'avait prévenu. C'était encore une occasion pour nous foutre de ta gueule.

LEFRANC

Tu me connais mal si tu crois que j'accepterais de me sacrifier pour ton squelette.

Et j'en ai besoin ? Tu veux être bon
avec moi ? Tu crois que tu m'en dégoûte-
ras moins ? Dans trois jours, tu seras
libéré. Yeux-Verts et moi on sera libres.

LEFRANC

N'y compte pas trop, Maurice, ce soir
tu quittes la cellule. Avant ton arrivée
Yeux-Verts et moi on s'accordait comme
deux hommes. Je ne lui parlais pas en
jeune mariée.

MAURICE

Tu m'écœures !

> *Il fait avec sa tête le geste de rejeter
> du front une impossible mèche de
> cheveux.*

LEFRANC, *toujours plus violent.*

Ne peux pas te voir ! Ne pas t'enten-
dre ! Ne pas te sentir ! Même tes tics me

font mal. Je ne veux pas les emporter en sortant.

MAURICE

Et si je refuse ? Tu m'en veux d'être en forteresse depuis peu de temps. Tu aurais été heureux de voir mes cheveux tomber sous la tondeuse ?

LEFRANC

Boucle, Maurice !

MAURICE

Assis sur l'escabeau et mes boucles tomber sur mes épaules, sur mes genoux et par terre, heureux même que je te le raconte, heureux de ma rage. Mon malheur te fait briller.

LEFRANC

Je dis que j'en ai assez d'être entre vous deux, d'être traversé par les gestes de l'un qui cause avec l'autre. J'en ai assez de regarder vos petites gueules faciles. Vos coups de paupières je les connais ! Ce n'est pas assez de crever de faim, d'être sans force entre quatre murs, il faut qu'on se crève.

MAURICE

En me rappelant que tu me donnes la moitié de ton pain tu espères m'attendrir ? Et la moitié de ta soupe ? (*Un temps.*) Pour l'avaler je devais faire trop d'efforts. De venir de toi, c'était assez pour qu'elle me dégoûte.

LEFRANC

Yeux-Verts en profitait.

MAURICE

Tu voudrais qu'il crève de faim.

34

LEFRANC

Vos partages ne me touchaient pas. Je suis de taille à nourrir une cellule entière.

MAURICE

Garde ta soupe, martyr, j'aurai encore le courage de donner la moitié de la mienne à Yeux-Verts.

LEFRANC

Soutiens ses forces, il en a besoin. Mais n'essayez pas de m'avoir. Je suis plus loin que vous.

MAURICE, *ironique*.

Sur la galère ?

LEFRANC

Répète !

MAURICE

Je dis : sur la galère.

LEFRANC

Tu me défies ? Tu veux me pousser au
bord ? Maurice, tu veux que je recommence ?

MAURICE

Au bord de la galère ? Le premier, tu
nous as parlé de tes marques aux poignets...

LEFRANC

Et aux chevilles ! Aux poignets et aux
chevilles. J'ai le droit ! Toi, de la boucler. *(Il hurle.)* J'ai le droit d'en parler.
Depuis trois cents ans, je porte la marque des galériens et tout va finir par un
coup dur. Vous m'entendez ? Je peux
devenir cyclone et vous dévaster ! Net-

36

toyez la cellule. Votre douceur me tue.
Un de nous deux va déguerpir. Vous
m'épuisez, toi et ton bel assassin !

MAURICE

Tu l'accuses encore. Pour essayer de
cacher tes manières de traître, tu l'accuses. On le sait que tu as voulu lui voler
sa femme. Comme tu te lèves la nuit
pour voler son tabac. Si on t'en offre
dans la journée, tu le refuses. C'est pour
mieux le faucher au clair de lune. Sa
femme ! Elle est convoitée depuis longtemps.

LEFRANC

Tu voudrais bien que je te dise oui,
hein ? Tu serais heureux ? Tu jouirais de
me voir bien séparé de Yeux-Verts ? Eh
bien oui. Oui, mon petit Maurice, tu as
deviné : depuis longtemps je fais mon
possible pour qu'elle le laisse choir. Dès
la première lettre d'amour.

MAURICE

Salaud !

LEFRANC

Il y a longtemps que je cherche à le décoller d'elle. Je m'en fous de sa femme. D'elle je m'en fous. Je voulais que Yeux-Verts soit tout seul. Solo comme il dit. Mais c'est trop difficile. Le gars tient bon. Il est d'aplomb sur ses jambes écartées. Et j'ai probablement loupé mon coup.

MAURICE

Qu'est-ce que tu voulais faire de lui ? Où l'emmener ? (*A Yeux-Verts :*) Yeux-Verts, tu l'écoutes ?

LEFRANC

Cela ne te regarde pas. C'est entre nous deux, et même si je dois changer de

cellule, je continuerai. Et même si je sors
de forteresse.

MAURICE

Yeux-verts !

LEFRANC

Je vais te dire ce qu'il te reste : ta
jalousie. Tu ne peux pas supporter que
ce soit moi qui écrive à sa femme. J'ai
une trop belle place. Un vrai poste : je
suis la poste. Et tu enrages !

MAURICE, *les dents serrées.*

Pas vrai ! Je fais des fautes d'ortho-
graphe...

LEFRANC, *il imite Maurice.*

Ce n'est pas vrai ? Tu ne t'entends pas
le dire ! Tu as des larmes aux yeux.
Quand je m'asseyais à la table, prenais la

39

feüille de papier, essayais la plume sergent-major, débouchais l'encrier, tu ne
tenais plus en place. Tu étais bourré
d'électricité. On ne pouvait plus te manipuler. Quand j'écrivais tu aurais dû
t'observer. Et quand je relisais la lettre ?
Je n'entendais pas tes ricanements, je ne
voyais pas les battements de tes paupières !

MAURICE

La femme de Yeux-Verts aura été ta
première femme. Tu te vidais sur le
papier !

LEFRANC

Tu en souffres encore : les larmes
coulent de tes beaux yeux. Je te fais
pleurer de rage et de honte ! Et je n'ai
pas fini ! Que Yeux-Verts remonte du
parloir ! Il revient joyeux d'avoir vu sa

femme et joyeux de la laisser à l'aban-
don.

MAURICE

Ce n'est pas vrai !

LEFRANC

Tu crois ! Sa femme ne pourrait si
facilement l'oublier. On n'oublie jamais
Yeux-Verts ! Il est trop lâche pour
l'abandonner. S'il se colle au grillage du
parloir, sa vie recommence..., s'il
remonte, sa vie recommence.

MAURICE

Salaud !

LEFRANC

Tu n'as pas compris que tu ne
comptes pas ? Que c'est lui l'homme ! En
ce moment regarde, il s'accroche au

grillage. Il se recule pour que sa femme le détaille mieux ! Mais regarde-le !

MAURICE

Jaloux ! tu aurais voulu qu'on parle de toi dans toute la France comme on a parlé de Yeux-Verts. C'était beau. Rappelle-toi comme c'était beau quand on ne retrouvait plus le cadavre. Tous les paysans cherchaient. Les flics, les chiens ! On vidait les puits, les étangs. C'était la révolution, les cloches. Les curés, les cloches, les sourciers, les cloches ! Et quand on a retrouvé le cadavre ! La terre, la terre entière était parfumée. Et les mains de Yeux-Verts ? Ses mains pleines de sang pour écarter le rideau des fenêtres ? Et secouer ses cheveux chargés de lilas. Comme il nous l'a raconté.

YEUX-VERTS, *stupéfait.*

Le sang, Maurice ? Nom de Dieu !

MAURICE

Qu'est-ce que tu dis ?

YEUX-VERTS

Pas le sang, les lilas.

Il s'avance menaçant.

MAURICE

Quel lilas ?

YEUX-VERTS

Entre ses dents ! Dans ses cheveux. Et c'est maintenant que tu me préviens ! (*Il gifle Maurice.*) Mais pas un flic ne m'a raconté. J'aurais dû y penser et j'ai le malheur d'y penser trop tard. (*A Maurice :*) Et c'est ta faute, vermine. Tu n'étais pas là. Tu devais y être pour m'avertir, je suis bouclé en face de mon regret, être exact, mais probablement occupé avec ma femme...

43

Yeux-Verts...

YEUX-VERTS

J'en ai assez de vous tous. Dans un mois j'aurai passé sous le couteau. D'un côté de la machine j'aurai ma tête, mon corps sera de l'autre. Alors je suis terrible. Terrible ! Et je peux t'anéantir. Si ma femme te plaît, va la cueillir. Depuis longtemps tu tournes autour de moi, tu tournes, tu cherches un coin où te poser sans te douter que je peux t'assommer.

MAURICE, *écoutant à la porte*.

Yeux-Verts... tout va s'arranger : que tu apparaisses pour la retrouver. Ecoute ! Ecoute ! C'est le tour de la 34.

YEUX-VERTS

Non. Qu'elle se refasse un rire, elle a raison. Je ferai comme elle. Ici pour commencer et de l'autre côté de l'eau pour finir. Si j'y arrive ! Seulement elle va me l'apprendre tout à l'heure, sans douceur. Froidement elle doit me laisser choir sans se douter qu'en attendant deux mois de plus elle serait veuve. Elle pourrait venir prier sur ma tombe et y porter... *(Il hésite.)* des fleurs...

MAURICE, *tendre.*

Yeux-Verts...

LEFRANC

Elle va venir. Les visites sont à peine commencées.

Il veut prendre une veste accrochée à un clou.

MAURICE

Ce n'est pas ta veste, c'est celle de Yeux-Verts.

45

LEFRANC, *raccrochant la veste.*

Tu as raison, je me suis trompé.

MAURICE

Cela t'arrive souvent. C'est la cin-
quième, sixième fois que tu mets sa
veste.

LEFRANC

Qu'est-ce qu'il risque ? Il n'y a pas de
secrets, elles n'ont pas de poches. (*Un
temps.*) Mais Maurice, tu as la garde des
fringues de Yeux-Verts ?

MAURICE, *haussant les épaules.*

Ça me regarde !

YEUX-VERTS

La petite garce ! Elle me laisse tout
seul au milieu du sable. Tu fous le camp,
tu t'envoles !

MAURICE

Si je la rencontre je la descends, je le
jure.

YEUX-VERTS

Trop tard. Dès que tu la verras, tu
diras adieu à Yeux-Verts.

MAURICE

Jamais !

YEUX-VERTS

Ne dis jamais, jamais. Je connais trop
les amis qui font des serments. Il ne
faudra même pas y toucher, c'est une
pauvre gosse. Elle a besoin d'un homme,
d'un vrai et moi je suis déjà mon fan-
tôme. Je n'avais qu'à savoir écrire. Les
belles phrases, j'aurais dû les apprendre
par cœur. Ça s'apprend. (*Un temps.*)

47

Mais moi je suis une belle phrase : ça ne s'apprend pas.

MAURICE

Alors, tu l'excuses ?

YEUX-VERTS

Elle ne mérite aucun pardon, mais qu'est-ce que je peux faire ? Lui faire ?

MAURICE

La descendre.

YEUX-VERTS

Vous me faites rire tous les deux. Vous ne voyez pas ma situation ? Vous ne voyez pas qu'ici on fabrique des histoires qui ne peuvent vivre qu'entre quatre murs ? Je ne reverrai jamais le soleil des hommes, et vous vous foutez de moi ? Vous m'ignorez ? Vous ne comprenez pas qu'à mes pieds la tombe est creusée? Dans un mois je serai devant les juges. Dans un mois on aura décidé que je dois avoir la tête coupée. La tête tranchée, messieurs! Je ne suis plus vivant, moi! Maintenant je suis tout seul. Tout seul! Seul! Solo! Je peux mourir tranquille. Je ne rayonne plus. Je suis glacé.

Maurice et Lefranc interloqués, regardent et apprécient le monologue.

Glacé! Vous pouvez vous agenouiller devant Boule de Neige, vous avez raison. Le grand caïd, c'est lui. Allez lui embrasser les doigts de pied, il a la chance d'être un sauvage. Il a le droit de tuer les gens et même de les manger. Il vit dans la brousse, voilà son mérite sur moi. Il a ses panthères apprivoisées. Moi je suis tout seul. Trop blanc. Trop abîmé par la cellule. Trop pâle. Déprimé. Mais si vous m'aviez vu avant, les mains dans

les poches, avec mes fleurs, avec toujours une fleur entre les dents ou à
l'oreille à la place de la cigarette ! On
m'appelait... Vous voulez le savoir ?
C'était un beau surnom : Paulo les
Dents-fleuries ! Et maintenant ? Je suis
tout seul, ma femme m'abandonne ... (*A
Maurice :*) Elle t'aurait plu, ma femme ?

MAURICE

Elle me chavirait un peu, je l'avoue.
Quand déjà je la vois à travers toi, je
deviens fou.

YEUX-VERTS, *amer*.

Je suis un beau couple, hein ? Ça te
trouble ?

MAURICE

Oui. C'est même un passage que tu
devrais creuser. Pour t'en défaire tu

aurais du mal. C'est pour ça qu'il faut te venger. Montre-moi son portrait.

Tu le vois tous les matins, quand je me lave.

MAURICE

Montre-le encore. Une dernière fois.

YEUX-VERTS, *il ouvre brutalement sa chemise*
et montre à Maurice son torse
où est tatoué un visage de femme
mais tournant le dos au public
qui ne verra jamais le tatouage.

Elle te plaît?

MAURICE

Elle est belle! Dommage que je ne puisse pas lui cracher sur sa gueule, c'est ta peau. (*Il rit.*) Et là qu'est-ce que c'est ? (*Il montre un endroit sur la poitrine de Yeux-Verts.*) Encore ta femme ?

YEUX-VERTS

Laisse. Fini, avec elle.

MAURICE

Je voudrais la rencontrer...

YEUX-VERTS

J'ai dit : silence autour de moi. Vite. Tu es déjà trop content de ce qui m'arrive. C'est probablement la joie qui vous excite contre elle et contre moi. Vous êtes heureux d'être seuls à pouvoir la regarder.

MAURICE

Contre moi tu te mettrais en colère ? Je suis capable d'aller tuer ta femme...

52

LEFRANC

Tu aurais bonne mine en face du sang qui coule. Il faut d'abord en avoir dans les veines.

MAURICE

C'est surtout la gueule qu'il faut avoir. La mienne...

LEFRANC

Si tu la voyais ! Probablement faite dans le même moule que celle de Yeux-Verts.

MAURICE, *presque pâmé*.

Oh Jules, ne dis pas ça, je vais m'évanouir. Tu ne vas pas nier que je suis le plus beau gosse de la forteresse. Mire un peu le petit mâle !

Il fait le geste déjà indiqué de
rejeter une mèche de cheveux. Tou-
jours pâmé, mais vraie petite salope.

Avec une gueule pareille, je peux tout
me permettre. Même innocent on me
croit coupable. Je suis assez beau. C'est
des têtes comme la mienne qu'on vou-
drait découper dans les journaux. Hein,
Jules, pour ta collection ? Les rombières
en seraient folles. Le sang coulerait. Et
les larmes. Tous les petits gars vou-
draient jouer du couteau. Ce serait la
fête. On danserait dans les rues. Le 14
Juillet c'est comme ça ?

LEFRANC

Ordure !

MAURICE

En fer-blanc ! Après je n'aurais plus
qu'à me transformer en rose pour me
faire cueillir ! En rose ou en pervenche.

54

En marguerite ou en gueule-de-loup. Mais toi, jamais tu n'arriveras à un si beau résultat. Il suffit de te regarder. Tu n'es pas fait pour cela. Je ne dis pas que tu sois innocent, je ne dis pas non plus qu'en tant que cambrioleur tu ne vailles rien, mais pour un crime c'est autre chose.

LEFRANC

Qu'est-ce tu en sais ?

MAURICE

Je sais tout. Moi, tous les hommes, les vrais, m'ont accepté. Je suis encore jeune mais j'ai leur amitié. Pas toi. Tu n'es pas de notre espèce. Tu n'en seras pas. Même si tu descendais un homme.

LEFRANC

C'est Yeux-Verts qui te fascine. Il t'obsède !

MAURICE, *de plus en plus provocant,*
mais débarrassé de sa saloperie.

C'est faux ! Je ne l'aide peut-être pas comme je voudrais l'aider, mais toi, tu voudrais qu'il t'aide.

LEFRANC

A... ?

MAURICE, *soudain violent.*

A... ? Rappelle-toi ta tête quand le gardien a retrouvé toutes les photos d'assassins dans ta paillasse. Qu'est-ce que tu en faisais ? Elles te servaient à quoi ? Tu les possédais toutes ! Toutes ! Celle de Soklay, celle de Weidmann, celle de Vaché, celle d'Ange Soleil, et j'en oublie. Je ne les sais pas par cœur. Qu'est-ce que tu en faisais ? Tu leur disais la messe ? Tu leur faisais des prières ? Hein, Jules, dans ta paillasse, la nuit, tu les embaumais.

56

Ne vous disputez pas. Si vous tenez à descendre ma femme, tirez au sort.

LEFRANC ET MAURICE, *ensemble*.

Pourquoi ? Pas la peine !

YEUX-VERTS

Tirez au sort. Je reste le maître. Le sort désignera le couteau, mais l'éxcuteur, c'est moi.

LEFRANC

Tu t'amuses, Yeux-Verts.

YEUX-VERTS

J'en ai l'air ? Où vous croyez-vous ? Mais faites attention à ce qui va se passer. Surveillez les environs. Vous êtes décidés ? Vous êtes bien décidés à des-

cendre ma femme ? Il faudra faire vite.
Vous êtes prêts ? Méfiez-vous. Un coup
de bâton va être donné. L'un de vous va
être assommé. (*Il place son poing sur
l'épaule de Maurice.*) Ce sera toi ? On va
faire de toi un petit assassin ?

MAURICE

Tu ne m'en veux plus ?

YEUX-VERTS

On est épuisés par le manque d'air, ne
m'obligez pas à trop d'efforts. Je vous
explique. Paternellement. Je dis qu'il
faut surveiller car c'est terrible des
moments pareils. C'est terrible à force
d'être doux. Vous me suivez ? C'est trop
doux.

MAURICE

Qu'est-ce qui est trop doux ?

YEUX-VERTS, *tout ce passage le dire d'une voix très douce, très polie.*

C'est à cela qu'on reconnaît la catastrophe. Moi je ne suis déjà plus au bord. Je tombe. Je ne risque plus rien, je vous l'ai dit. Et Yeux-Verts va nous faire rire : je tombe si doucement, ce qui me fait tomber est si gentil que par politesse je n'ose pas me révolter. Le jour du crime... Tu m'écoutes ? Le jour du crime c'était pareil. Vous m'écoutez. Cela vous intéresse, messieurs. Je dis « le jour du crime » et je n'ai pas honte ! Qui connaissez-vous dans la forteresse à tous les étages qui puisse se mettre aussi haut que moi ? Lesquels sont aussi jeunes que moi ? Aussi beaux que moi, ayant connu un aussi grand malheur ? Je dis « le jour du crime » ! Ce jour-là, de plus en plus jusqu'à...

LEFRANC, *doucement.*

L'expiration.

YEUX-VERTS

Tout a été de plus en plus poli avec moi. Je prétends que dans la rue un homme m'a salué en soulevant son chapeau.

MAURICE

Yeux-Verts, calme-toi.

LEFRANC, *à Yeux-Verts.*

Continue. Raconte.

MAURICE

Non, arrête-toi. Ce que tu racontes l'excite. Ça le gagne. *(A Lefranc :)* Le malheur des autres, tu le digères.

60

YEUX-VERTS, *sentencieux ou idiot.*

Je vous explique. Il a soulevé son chapeau. C'est à partir de là que toutes les choses...

LEFRANC, *implacable.*

Précise.

YEUX-VERTS

... les choses se sont mises à bouger. Il n'y avait plus rien à faire. Et pour cela il avait fallu que je tue quelqu'un. C'est votre tour. L'un de vous descendra ma femme. Mais faites attention. J'ai tout préparé pour vous, je vous donne votre chance. Moi, j'ai fini. Rentier, je pars pour le monde des chapeaux de paille et des palmiers. Recommencer une vie c'est facile, vous verrez. Je m'en suis rendu compte dès le moment que j'ai tué la fille. J'ai vu le danger, mais, heureuse-

61

ment, après. Vous me comprenez ? Le danger de me retrouver dans la peau d'un autre. Et j'ai eu peur. J'ai voulu revenir en arrière. Halte ! Impossible ! J'ai fait des efforts. Je courais à droite et à gauche. Je me tortillais. J'essayais toutes les formes pour ne pas devenir un assassin. Essayé d'être un chien, un chat, un cheval, un tigre, une table, une pierre ! J'ai même, moi aussi, essayé d'être une rose ! Ne riez pas. J'ai fait ce que j'ai pu. Je me contorsionnais. Les gens disaient que j'étais convulsionnaire. Moi, je voulais remonter le temps, défaire mon travail, revivre jusqu'avant le crime. Remonter à l'air facile : mon corps ne passait pas. J'essayais encore : impossible. On se foutait de moi autour de moi. On ne se doutait pas du danger, jusqu'au jour où on s'est inquiété. Ma danse ! Il fallait voir ma danse ! J'ai dansé, les gars, j'ai dansé !

Ici l'acteur devra inventer une sorte

de danse très brève, burlesque si pos-
sible et émouvante, qui montre Yeux-
Verts essayant de remonter le temps.
Silencieux, il se contorsionne. Il
essaye une danse en vrille, sur lui-
même. Maurice et Lefranc sont atten-
tifs à ce travail, puis il dit :

Pas de chance. Ni lire ni écrire, ni
savoir danser ni remonter le temps.
Punaise ! (*Dansant.*) Et j'ai dansé ! Danse
avec moi, Maurice.

> *Il le prend par la taille et fait avec*
> *lui quelques pas, mais il le repousse*
> *bientôt.*

Fous le camp ! Tu danses comme au
musette, en chaloupant !

> *Il reprend sa danse en vrille. Enfin*
> *l'acteur s'immobilise, essoufflé.*

Et j'ai dansé ! Alors, on a cherché. On
m'a soupçonné. Après, tout a été tout
seul. J'ai fait les gestes qui devaient me
mener le plus tranquillement possible à

la guillotine. Maintenant je suis calme. Et c'est à moi d'organiser votre chance. Vous allez tirer au sort. (*A Lefranc :*) Tu as peur ? Tu t'y habitueras. Il faut prendre l'idée du côté de son velours. Au début je me faisais peur. Maintenant je me plais ! Je ne vous plais pas ?

MAURICE, *à Yeux-Verts.*

Tu le troubles. C'est une feuille de salsifis.

YEUX-VERTS

Laissez-vous couler. Laisse-toi couler, Jules. Tu trouveras toujours quelqu'un pour te tendre la main. Peut-être Boule de Neige si je ne suis plus là. Tu flanches. Tu n'as pas la belle allure de Maurice. J'aurais peut-être aimé que ce soit toi.

MAURICE, *amusé, narquois*.

Assassin.

YEUX-VERTS

Tirez ! Vous devez tirer au sort.

MAURICE

Et... comment... avec quoi... toi,
comment tu t'y es pris ?

YEUX-VERTS

C'est différent. C'est la fatalité qui a
pris la forme de mes mains. Pour être
juste on devrait les couper au lieu du
cou. Et pour moi tout est devenu simple.
La fille était déjà sous moi. Je n'avais
qu'à lui poser une main, délicate sur la
bouche et une sur le cou, délicatement.
C'était fini. Mais toi...

65

MAURICE

Et après ? (*A Yeux-Verts :*) Et après ?

YEUX-VERTS

Eh bien, je te l'ai dit. Tout s'est passé autrement. J'ai d'abord amené la fille dans ma chambre. Personne ne l'a vue monter. Elle voulait mon lilas.

MAURICE

Et après ?

YEUX-VERTS

Entre les dents j'avais une grappe de lilas. La fille me suivait. Elle était aimantée... Je vous raconte tout, mais que cela vous serve. Après... Après, elle a voulu crier parce que je lui faisais mal. Je l'ai étouffée. J'ai cru qu'une fois morte je pourrais la ressusciter.

Et après ?

Après ? Voilà ! La porte était là ! (*Il montre le côté droit de la cellule dont il touche le mur.*) Pour sortir le corps, impossible, je tenais trop de place, mes mamelles étaient devenues énormes et visibles. J'étais mou. Je me suis d'abord approché de la fenêtre, pour regarder dehors. Je n'osais pas sortir, j'avais changé de sexe. La rue m'épiait. On attendait de voir ma robe, ma nouvelle coiffure, que je montre à la fenêtre mes rubans... J'ai écarté un peu les rideaux... (*Maurice fait un geste.*) Quoi ?

Le lilas ? Tu l'as laissé dans ses cheveux ?

67

YEUX-VERTS, *triste*.

Et c'est maintenant que tu m'avertis !

MAURICE

Je ne savais pas, Yeux-Verts. J'aurais voulu te sauver. J'aurais dû être là, j'aurais dû t'assister...

YEUX-VERTS

Tu oublies que je t'observe. Tu as le béguin pour elle depuis le premier jour, depuis le matin où tu m'as vu le torse nu sous la douche. Je l'ai compris quand on est rentré. Toutes les mamours que tu me faisais, c'était pour elle. Je ne me trompe pas ? Quand tu voulais me voir c'était pour savoir comment son corps était fait pour s'emboîter dans le mien. Et parce que je ne sais ni lire ni écrire, tu me prends pour un estropié ! Mais j'ai l'œil ! (*Maurice fait la moue d'un gamin*

68

battu.) Parle, je ne suis pas une brute. Je me trompe ? Il ne faut pas vous payer ma tête. Ma tête qui tient encore par un fil. Tu m'as perdu. Tu t'étais entendu avec le bon Dieu. Du lilas ! Une toute petite grappe dans ses cheveux, et personne pour me prévenir. Pendant neuf jours j'avais changé de sexe. J'étais crevassé de partout. Et maintenant ? Qu'est-ce que je dois faire ? (*Il regarde Lefranc.*)

MAURICE, *à Yeux-Verts.*

Ne lui demande plus rien. Ne lui demande jamais plus rien. Tu ne vois pas la gueule qu'il s'offre ? Il est en train de te boire. Il t'avale.

YEUX-VERTS, *tristement.*

Ecoutez, je vous dis que c'est tellement triste que je voudrais que ce soit la nuit pour essayer de me serrer sur mon cœur, je voudrais, je n'ai pas honte de le dire, je voudrais, je voudrais, je voudrais, je voudrais... me blottir dans mes bras.

MAURICE

Surmonte-toi.

YEUX-VERTS, *toujours triste.*

Vous me voyez maintenant comme un pauvre. Yeux-Verts est complètement redescendu. Vous pouvez savoir ce que cela donne de près, un trembleur de ma taille. Touchez, vous pouvez toucher. (*Soudain violent.*) Mais ne vous y fiez pas. Il ne faudrait peut-être pas grand-chose pour que je rebondisse et vous écrase ! Restez tout de même sur vos gardes. Vous venez de connaître de moi plus que la police n'en a connu, à moins qu'elle soit passée par le même chemin que moi. Vous venez d'assister à ma véritable découverte, alors méfiez-vous,

70

je risque de ne jamais vous le pardonner. Vous avez eu l'audace de me démonter, mais ne croyez pas que je vais rester en morceaux. Yeux-Verts est déjà en train de se réorganiser. Je me reconstruis. Je me recolle. Je me refais à neuf. Je deviens plus fort, plus lourd qu'un château fort. Plus fort que la forteresse. Je suis la forteresse ! Dans mes cellules, je garde des costauds, des voyous, des soldats, des pillards ! Méfiez-vous ! Je ne suis pas sûr que mes gardiens et mes chiens puissent les retenir si je les lâche ! J'ai des cordes, des couteaux, des échelles ! Gardez-vous ! Il y a des sentinelles sur mes chemins de ronde. Il y a des espions partout. Je suis la forteresse et je suis seul au monde.

MAURICE

Yeux-Verts !

Je prépare mes exécutions. Je lève les écrous. Méfiez-vous les gars ! (*La porte de la cellule s'ouvre sans que paraisse personne.*) C'est moi ? Non ? Elle est venue. (*Il hésite.*) Elle est venue ? Eh bien va lui dire qu'elle s'en aille.

> *Entre le gardien. Il tient un trousseau de clefs à la main.*

LE SURVEILLANT, *il sourit.*

Dépêche-toi. Ta femme t'attend au parloir.

YEUX-VERTS

Je ne descends pas.

LE SURVEILLANT, *toujours calme.*

La raison ?

YEUX-VERTS

Je dis : je ne descends pas. Va lui dire qu'elle s'en retourne.

LE SURVEILLANT

Définitif ?

YEUX-VERTS

Tout ce qu'il y a de. Mademoiselle est morte.

LE SURVEILLANT

Ça te regarde. Je vais faire la commission. *(Il examine la cellule.)* Tout est en ordre ici ?

LEFRANC

Tout est en ordre, vous le voyez bien.

73

LE SURVEILLANT, *à Lefranc.*

Oui ? Et ça ? (*Il désigne le lit défait.*) Répondez ? (*Silence.*) Vous ne voulez pas répondre ? Je vous demande pourquoi le lit est défait ?

Long silence.

YEUX-VERTS, *à Maurice et à Lefranc.*

Vous autres ? Vous n'en savez rien ? Dites-le si c'est vous. Il faut être franc, le chef ne va pas faire d'histoires.

LEFRANC

On ne le sait pas plus que toi.

LE SURVEILLANT, *toujours souriant.*

Ça m'aurait étonné. La franchise vous étouffe. (*A Lefranc :*) Quand êtes-vous libéré ?

74

LEFRANC

Après-demain.

LE SURVEILLANT

On sera débarrassé.

LEFRANC, *agressif*.

Vous auriez pu le dire hier, je partais ce matin.

LE SURVEILLANT

Change de ton avec moi ou c'est le cachot.

LEFRANC

Alors le cachot. Et pas d'explications à fournir à Monsieur. (*Il désigne Yeux-Verts.*)

75

Chante pas si fort. (*Il se tourne vers Yeux-Verts et Maurice.*) Quand on veut être bon, vous voyez! Impossible avec des gars comme ça. Et ça finit par vous rendre inhumain. On prétend après que les gardiens sont des brutes. (*A Lefranc :*) Si vous étiez moins lourd, vous auriez compris que je fais mon métier. Personne ne peut dire que je vous cherche, et affranchi je le suis plus que vous.

LEFRANC

C'est à prouver.

LE SURVEILLANT

C'est prouvé. Vous ne savez pas ce qu'il faut voir, endurer pour être gardien de prison. Vous ne savez pas qu'il faut être juste le contraire des voyous. Je dis bien : juste le contraire. Et il faut être encore le contraire de leur ami. Je ne dis pas leur ennemi. Réfléchissez. *(Il cherche dans sa poche d'où il retire des cigarettes qu'il tend à Yeux-Verts. A Yeux-Verts :)* C'est ton copain. C'est Boule de Neige qui t'envoie deux cigarettes.

YEUX-VERTS

Dis-lui que je les ai reçues.

Il met une cigarette à sa bouche et tend l'autre à Maurice.

MAURICE

Pas la peine.

La porte étant ouverte, le public voit l'extérieur de cette porte, c'est-à-dire la serrure.

Maurice, souriant et passant la main, caressant la serrure :

C'est beau une serrure !

77

Tu n'en veux pas ?

MAURICE

Non.

LE SURVEILLANT

Il a raison. Trop jeune pour fumer. Le négro m'a encore chargé de te dire que tu ne dois pas t'en faire. Celui-là, c'est un vrai copain pour toi. *(Silence gêné.)* Alors ta femme ?

YEUX-VERTS

Je te l'ai dit : c'est fini.

LE SURVEILLANT

Elle avait pourtant l'air d'en tenir pour tes yeux verts. Je la regardais tout à l'heure, c'est une belle fille.

78

YEUX-VERTS, *souriant*.

Tu ne vas pas la retrouver quand elle
sort d'ici, non ?

LE SURVEILLANT, *de même*.

Ça te chiffonnerait ?

YEUX-VERTS

Oh ! Au fond, si elle te plaît,
débrouille-toi avec elle.

LE SURVEILLANT

Je peux toujours essayer.

YEUX-VERTS

Pourquoi pas ? Moi, je suis décollé de
terre. La vie me fatigue.

LE SURVEILLANT, *souriant et fat*.

Alors, c'est vrai ? Tu me la lâches dans
le creux de la main ?

Vas-y.

Ils se serrent la main.

YEUX-VERTS

C'est jeudi dernier qu'elle me disait adieu, tu as raison. Adieu pour toujours. Avec ses yeux chavirés elle prenait congé.

LE SURVEILLANT

Tu crois qu'elle perdra au change ?

YEUX-VERTS

Tu lui causeras de moi. Tu prendras ma place. Quand j'aurai la tête coupée, je compte sur toi pour me remplacer.

LE SURVEILLANT

On t'adopte. Et pour la cantine fais-moi signe. Tout ce que tu veux tu l'auras. (*A Lefranc :*) Vous ne savez pas encore ce que c'est qu'un gafe. Pour l'apprendre (*Il montre Yeux-Verts.*) il faut être dans sa situation.

LEFRANC

N'empêche qu'il aurait bien voulu que tout retombe sur moi et qu'on descende au cachot. Parce que lui, naturellement, c'est l'Homme !

YEUX-VERTS

Tu râles ? Pour si peu.

LEFRANC

Pour toi c'est très peu. (*A Maurice :*) Il nous accuse...

MAURICE

Yeux-Verts ? Il n'accusait personne. Il a demandé pourquoi le lit était défait.

81

C'est moi qui prenais tout sur les reins.

Oh ! Permets, tu veux. Qu'est-ce que j'ai dit ? La vérité. Je l'ai dite en face du chef parce qu'il est chic. Avec lui on ne risque rien.

Un gardien, c'est un gardien.

Il endosse la veste que Yeux-Verts vient de jeter sur le lit.

Lui, c'est différent. Un homme ne crâne pas. Il sait qu'il est homme et ça lui suffit.

MAURICE, *sec*.

Yeux-Verts a raison.

LEFRANC

C'est Yeux-Verts. Seulement ne t'y
trompe pas, ses amis, les vrais, ils sont à
l'étage au-dessus. Ce n'était pas la peine
de le défendre tant tout à l'heure. Yeux-
Verts reçoit ses ordres de l'au-delà. On
lui envoie des cigarettes, venant d'où ?
De l'autre côté de l'eau ! Apportées par
un gardien spécial, en grand uniforme,
l'amitié au bout des doigts. Message du
cœur. Tu parlais du sourire de Boule de
Neige ? Et tu croyais que c'était pour
moi ? Erreur, Monsieur l'avait déjà
cueilli sur les dents du nègre. Tous les
détenus sont partagés entre deux camps
qui se bagarrent, et les deux rois
s'envoient des sourires par-dessus nos
têtes — ou derrière notre dos — ou

même devant nous. Et pour finir ils font cadeau de leur femme...

LE SURVEILLANT

Mettez-vous d'accord. Moi, je vais voir Boule de Neige. Il passe son temps à chanter...

Il sort.

YEUX-VERTS, *à Lefranc.*

D'un claquement de langue. Oui, Monsieur ! Oui, si je veux. Je vous ferais tourner comme des chevaux dans un manège. Comme je faisais valser les filles. Vous en doutez ? Je fais ce que je vaux ici. C'est moi l'homme, oui, Monsieur. Je peux me promener dans les couloirs, monter les étages, traverser les ronds-points, les cours et les préaux, c'est moi qu'on respecte. On me redoute. Je suis peut-être moins fort que Boule de Neige parce que son crime était

84

un peu plus nécessaire que le mien.
Parce qu'il a tué pour piller et pour
voler, mais comme lui j'ai tué pour vivre
et j'ai déjà le sourire. J'ai compris son
crime. J'ai tout compris et j'ai le courage
d'être tout seul. En pleine lumière.

LEFRANC

Ne t'exalte pas, Yeux-Verts. Moi aussi
j'ai compris. Et je te permets tout. J'ai
fait tout ce que j'ai pu pour que les mots
qui partaient vers ta femme soient le plus
beau possible. Tu as le droit de m'en
vouloir, je prenais ta place.

YEUX-VERTS

Les lettres étaient belles. Elles étaient
trop belles. Tu croyais peut-être écrire à
ta femme...

C'est le contraire. Je faisais des lettres aussi belles parce que je me mettais complètement à ta place. J'entrais dans ta peau.

YEUX-VERTS

Mais pour être dans ma peau, il faut être de ma taille. Pour être à ma taille, il faut faire comme moi. Ne le nie pas, tu voudrais bien être tutoyé par les gardiens et les tutoyer. Tu voudrais bien mais tu n'es pas assez fort. Tu le sauras peut-être un jour ce qu'est un gafe. Mais il faudra y mettre le prix.

LEFRANC

J'ai voulu te séparer de ta femme, j'ai fait tout ce que j'ai pu. J'ai fait ce que j'ai pu pour t'isoler du monde et séparer du monde la cellule et même la forteresse.

La prison est à moi et j'y suis le maître.

MAURICE, *amer*.

Et tu donnes.

YEUX-VERTS

Tu dis ?

MAURICE

Rien.

YEUX-VERTS, *il rit*.

Je donne ? Et après ? Vous n'oseriez pas me demander d'être régulier, non ? Exiger cela d'un homme qui est à deux mois de la mort, ce serait inhumain. Qu'est-ce que cela veut dire, être régulier, après ce que j'ai fait ? Après avoir exécuté le grand saut dans le vide, après m'être si bien séparé des hommes par mon crime, vous attendez encore de moi que je respecte les règles du catéchisme ? Je suis plus fort que vous.

Moi, je te comprends. Et je comprends aussi ce qu'il appelle tes trahisons. C'est comme cela que tu me plais. Descends toujours.

Et si cela me plaît, à moi, de trahir ? Qui êtes-vous ? Deux petits voleurs. Boule de Neige, il m'accompagne, m'encourage. Ensemble on ira à Cayenne si l'on s'en tire, si je passe sous le couteau, il m'y suivra. Qu'est-ce que je suis pour vous ? Vous croyez que je ne l'ai pas deviné. Dans la cellule c'est moi qui supporte tout le poids. De quoi je ne sais pas. Je suis illettré, mais j'ai des reins solides. Comme Boule de Neige supporte la même charge pour toute la forteresse, il y en a peut-être un autre, le Caïd des Caïds, qui la supporte pour le monde entier. Vous pouvez vous foutre de notre gueule, nous avons des droits. Nous sommes l'homme.

MAURICE

Pour moi, tu es toujours Yeux-Verts. Mais tu as perdu ta belle force criminelle.

YEUX-VERTS

Quand mon souvenir te reviendra.

MAURICE

Autrefois, j'étais à la cellule 108 et quand je passais dans le couloir devant ta porte, je ne voyais pas que ta main qui tendait la gamelle à travers le guichet. Je voyais ton doigt où il y a une alliance en or. J'étais sûr que tu étais un homme complet à cause de ta bague, mais je pensais que tu n'avais pas vraiment de femme. Maintenant, tu en as une. Je te pardonne tout parce que je t'ai vu fondre tout à l'heure.

YEUX-VERTS

Discute avec Jules ou boucle-la.

MAURICE

C'est cela aussi qui me fait mal au cœur : si je ne suis plus avec toi, je serai obligé d'être avec lui. *(A Lefranc :)* Je suis lâche, Lefranc, mais prends garde. Je défendrai son crime...

LEFRANC

Tu l'as entendu son crime ? Et tu l'as vu l'assassin jusqu'aux larmes ! Cela

aussi, c'était dans mon programme.
C'est moi qui réussis. Yeux-Verts a fait
ce qu'il devait...

MAURICE

Qu'est-ce que tu as fait de mieux ? Tu
peux te réclamer de quoi ? De qui ? Tes
marques au poignet peut-être ? La
galère ? Tes cambriolages ?

LEFRANC

Avec Serge, au moment de l'affaire de
la rue de la Néva j'aurais voulu t'y voir.
Dans le noir, les gens qui nous tiraient
des fenêtres...

MAURICE, *ironique*.

Serge ? Quel Serge ? Probablement
Serge de Lenz !

Serge de Lenz en personne. C'est avec lui que j'ai débuté.

MAURICE

Des preuves ! Les cellules sont pleines de formidables histoires. Par moments, ça flotte dans l'air qui devient épais à vous faire dégueuler. Et les plus terribles c'est encore celles qu'on invente ou qu'on rêve pour se faire mousser ? même pas : pour rendre notre vie supportable. Des escroqueries, des trafics d'or, de perles, de diamants ! Ça fume. Les faux dollars, les casses, les fourrures ! Et les galériens !

LEFRANC

Tu me menaces ?

Il avance sur Maurice et veut le saisir. Yeux-Verts les écarte brutalement.

Ce n'est pas encore le moment. C'est la colère qui vous emporte, pas le bourreau.

> *En se débattant, Maurice déchire la chemise de Lefranc.*

YEUX-VERTS, *fixant la poitrine de Lefranc.*

Mais... tu es tatoué !

MAURICE, *déchiffrant.*

Le Vengeur ! Formidable.

LEFRANC

Laissez-moi tranquille.

YEUX-VERTS

Le Vengeur ? J'ai servi dessus avant de partir pour Calvi. Un petit sous-marin rapide. Tu étais matelot, Jules ?

LEFRANC

Laisse-moi

YEUX-VERTS

Matelot ?

LEFRANC

Je n'ai jamais été dans la marine.

MAURICE

Alors, le Vengeur ?

YEUX-VERTS

Moi, en Centrale, à Clairvaux, j'ai
connu un dur qui s'appelait le Vengeur.
Un costaud. Et j'en ai connu d'autres,
des sévères et des bateaux. Il y avait la
Panthère, port de Brest.

94

LEFRANC

Centrale de Poissy.

YEUX-VERTS

Le Sanglant, centrale de Riom.

LEFRANC

Port de Cherbourg.

YEUX-VERTS

La Tornade, Fontevrault.

LEFRANC

Port de Brest.

YEUX-VERTS

Alors ? Coment fais-tu pour les connaître si tu n'as été nulle part ?

LEFRANC

Tout le monde est au courant. Il s'agit de choses qui ont dépassé ce qu'elles sont. Depuis longtemps je suis renseigné sur tout ce qui est le vrai signe de la poisse.

MAURICE

Tu ne connais pas grand-chose si tu n'en connais pas le signe.

YEUX-VERTS

Et l'Avalanche !

LEFRANC

Toulon. Dragueur de mines.

YEUX-VERTS

L'Avalanche ! Des cuisses formidables. Il avait éventré trois hommes.

Vingt ans de travaux. Il les tirait au fort
du Hâ !

MAURICE

Il parle des bateaux de guerre et toi
des durs de Cayenne.

LEFRANC

On se comprend.

MAURICE

Ça m'étonnerait, il te faudra parcourir
du chemin.

YEUX-VERTS

Vengeur c'est un titre. Pour le porter
c'est difficile. Il y en a trois, déjà. A
Clairvaux, le Vengeur, une dizaine de
cambriolages à main armée. Prend
quinze ans. A Tréous, le Vengeur aussi.
Tentative de meurtre sur un flic. Mais le

97

plus terrible c'est Robert Garcia dit Robert le Vengeur, à la maison de réclusion de Fréjus. Lui c'est le champion qu'il faut terrasser. Et pour cela réussir un meurtre complet. Pas autre chose.

LEFRANC

Le Vengeur, port de Lorient. Destroyer. Yeux-Verts.

YEUX-VERTS, *souriant*.

Ne perds pas le nord. Je te dirige. Tu comprends maintenant que j'avais besoin de l'amitié de Boule de Neige. C'est lui qui nous soutient. Et ne t'inquiète pas, il est solide. Sur le crime il est bien posé. Toute la prison est sous son autorité, mais tout de suite au-dessous de lui il y a moi...

MAURICE, *s'approchant de Lefranc*.

Mais, pardon, Monsieur n'est pas tatoué. C'est seulement dessiné à l'encre.

LEFRANC

Ordure !

MAURICE

En fer-blanc ! Vengeur ! C'est un titre qu'il a lu dans un livre avec l'histoire de la galère.

LEFRANC

Je t'ai dit de la boucler ou je t'assomme !

MAURICE

Parce que Yeux-Verts te parle, parce qu'il t'écoute, tu es sous son prestige. Seulement ses tatouages, à Yeux-Verts,

ce n'est pas du toc. Il n'a pas eu peur des
piqûres d'épingles.

LEFRANC, *menaçant.*

Boucle !

MAURICE, *à Yeux-Verts.*

Et ta femme, Yeux-Verts, tu vas lui
permettre ta femme !

YEUX-VERTS, *souriant.*

Tu la voulais ?

MAURICE

Ta femme ! Qui est gravée dans ta
peau ! Oh, Yeux-Verts ! Elle t'arrivait
jusqu'où ?

YEUX-VERTS, *il fait un geste.*

Là !

MAURICE

Ah !

LEFRANC

Caressez-vous.

MAURICE

Je lui parle de sa femme, j'en ai le droit.

LEFRANC

Si je te l'accorde.

MAURICE

Sa femme ?

LEFRANC

Oui, Monsieur. Dès maintenant, résigne-toi à compter avec moi.

MAURICE, *ironique.*

Je ne peux pourtant pas t'interroger sur elle. Tu n'espères pas la dessiner sur ta peau comme... (*Il fait le geste de rejeter du front une invisible mèche de cheveux.*) comme le Vengeur ! Si je m'occupe de sa femme c'est que Yeux-Verts me le permet.

LEFRANC

Tu le méprisais tout à l'heure.

MAURICE

C'est toi qui étais heureux de lui faire réciter son malheur en détail. Tu es un lâche.

LEFRANC

C'est toi qui lui arrachais l'histoire. Tu tirais doucement les mots...

102

MAURICE

J'ai fait ce que j'ai pu pour le soulager.
Il le sait. Moi, je n'attends pas qu'un
homme fasse mon travail. Je n'attends
rien, je m'attends à tout. Le coup dur
qui m'arrivera je le recevrai, je suis taillé
pour. Mais toi tu es dans le brouillard.
Quand tu tournes tu nous regardes
vivre. Tu nous regardes nous débattre et
tu nous envies. Elle te faisait reluire,
l'histoire du lilas ! Avoue-le ! On n'a pas
fini de voir ta gueule penchée en avant
tourner dans la cellule. Et tu vas la
ruminer, l'histoire du lilas ! Elle
t'engraisse déjà.

LEFRANC

Elle commence à me travailler, tu as
raison.

MAURICE

Elle te donne des forces ? Elle
remonte. Le lilas te remonte aux dents ?

103

Au bout des doigts, Maurice. En moi, ce n'est pas de la pitié qu'installe l'histoire du crime et du lilas. C'est de la joie ! Tu m'entends ? De la joie ! Yeux-Verts a cassé encore un fil qui le retenait au monde : il est séparé de la police. Bientôt il le sera de sa femme !

MAURICE

Salaud ! Tu organises...

LEFRANC

Mon travail, à moi.

MAURICE

Et c'est Yeux-Verts qui en fait les frais ! C'est lui qui paye. Lui qui a été choisi. Et moi, quand j'attire le malheur, ce n'est pas en avalant les aventures des autres : c'est à cause de ma gueule. Je te l'ai dit. Je suis marqué, moi aussi, mais ma vraie marque c'est ma gueule ! Ma gueule, ma jolie petite gueule de voyou. Je me décide à me défendre. Tu empestes la cellule et tu vas la vider. Tu es faux. Faux jusqu'à la moelle. Fausses ton histoire de la galère et tes marques aux poignets, faux tes secrets avec notre femme, fausses tes complications à propos du nègre, faux tes tatouages, fausses tes colères, fausse...

LEFRANC

Arrête !

> *A partir de cet instant, ces trois jeunes gens auront la taille, les gestes, la voix et les visages d'hommes de cinquante ou soixante ans.*

MAURICE

Fausse, ta franchise ; faux, tes débits...

105

LEFRANC

Arrête ou je cogne.

MAURICE

Je te déshabille. Tu te nourris des autres. Tu te vêtais, te parais de nos beautés. Tu voles nos crimes ! Tu as voulu connaître la vraie composition d'un crime, je t'ai regardé le digérer.

LEFRANC

Silence.

MAURICE

Je continue...

LEFRANC

Laisse-moi respirer.

106

MAURICE

Tu es gonflé par notre vie.
Il fait le geste de rejeter sa mèche de cheveux.

LEFRANC

Maurice. Ne continue pas. Et surtout ne recommence pas tes gestes de putain.

MAURICE

Pourquoi ? *(Riant.)* Monsieur a peur que je dérange ses grappes de lilas ?

LEFRANC

Tu vas sauter le grand saut. Prépare-toi à me recevoir : j'arrive. Le Vengeur, c'est moi. Fini de t'endormir sous les ailes de Yeux-Verts.

MAURICE, *à Yeux-Verts.*

Grand...

> *Puis regardant Lefranc, il refait le geste avec la main et la tête.*

LEFRANC

C'est trop tard. Ne crie pas.

> *Yeux-Verts est monté sur une cuvette renversée et il domine la scène pendant que Lefranc, souriant, marche sur Maurice qui, devant ce sourire radieux, sourit aussi.*

YEUX-VERTS, *visage tendu.*

Vous m'épuisez, tous les deux. Vous m'obligez à plus d'efforts que vous. Faites vite pour que tout le monde aille dormir.

MAURICE, *effrayé.*

Mais tu es fou.

LEFRANC

Ne gueule pas, c'est trop tard.

Il arrive à bloquer Maurice dans l'angle du mur où il l'étrangle. Maurice glisse sur le sol entre les jambes écartées de Lefranc. Lefranc se redresse.

YEUX-VERTS, *après un moment de silence et la voix changée.*

Qu'est-ce que tu as fait ? Lefranc, tu ne l'as pas tué ?

Il regarde Maurice raidi.

C'est du beau travail.

Lefranc paraît épuisé.

Du beau travail pour la Guyane.

LEFRANC

Aide-moi, Yeux-Verts.

109

YEUX-VERTS, *s'approchant de la porte.*

Non.

LEFRANC, *interloqué.*

Hein ? Mais… ?

YEUX-VERTS

Ce que tu viens de faire ? Supprimer
Maurice ? Le tuer pour rien ? Pour la
gloire donc pour rien.

LEFRANC

Yeux-Verts… tu ne vas pas me laisser ?

YEUX-VERTS, *très doucement.*

Ne parle plus, ne me touche plus. Tu
sais ce que c'est le malheur ? Moi, j'avais
tout espéré pour l'éviter. Je n'ai rien
voulu de ce qui m'est arrivé. Tout m'a

110

été offert. Un cadeau du bon Dieu. Nous voilà encombrés d'un corps.

LEFRANC

J'ai fait ce que j'ai pu, pour l'amour du malheur.

YEUX-VERTS

Ce n'est rien savoir du malheur si vous croyez qu'on peut le choisir ? Le mien m'a choisi. J'ai tout essayé pour m'en dépêtrer. J'ai lutté, boxé, dansé, j'ai même chanté et l'on peut en sourire, le malheur je l'ai d'abord refusé. C'est seulement quand j'ai vu que tout était foutu que j'ai compris : il me le fallait total.

Il cogne à la porte.

LEFRANC

Qu'est-ce que tu fais ?

111

J'appelle les gardiens. (*Il frappe à la porte.*) A leur gueule tu sauras qui tu es.

Bruit de clé. La porte s'ouvre. Paraît le gardien souriant. Il fait une œillade à Yeux-Verts.

Le Surveillant général en grande tenue, avec le surveillant de la cellule.

LE SURVEILLANT GÉNÉRAL

On a tout entendu, tout vu. Pour toi et de ton poste, ça devenait cocasse ; pour nous, de l'œilleton du judas ce fut une belle séquence tragique, merci. (*Il salue.*)

RIDEAU

DU MÊME AUTEUR

Aux Éditions Gallimard

LETTRES A ROGER BLIN

JOURNAL DU VOLEUR

UN CAPTIF AMOUREUX

ŒUVRES COMPLÈTES

Ensuite, collection Folio

JOURNAL DU VOLEUR

NOTRE-DAME-DES-FLEURS

MIRACLE DE LA ROSE

LES BONNES

LE BALCON

LÉS NÈGRES
LES PARAVENTS

Collection L'Imaginaire, enfin :

POMPES FUNÈBRES
QUERELLE DE BREST

COLLECTION FOLIO

Dernières parutions

1908.	Michel Tournier	*La goutte d'or.*
1909.	H. G. Wells	*Le joueur de croquet.*
1910.	Raymond Chandler	*Un tueur sous la pluie.*
1911.	Donald E. Westlake	*Un loup chasse l'autre.*
1912.	Thierry Ardisson	*Louis XX.*
1913.	Guy de Maupassant	*Monsieur Parent.*
1914.	Remo Forlani	*Papa est parti maman aussi.*
1915.	Albert Cohen	*Ô vous, frères humains.*
1916.	Zoé Oldenbourg	*Visages d'un autoportrait.*
1917.	Jean Sulivan	*Joie errante.*
1918.	Iris Murdoch	*Les angéliques.*
1919.	Alexandre Jardin	*Bille en tête.*
1920.	Pierre-Jean Remy	*Le sac du Palais d'Été.*
1921.	Pierre Assouline	*Une éminence grise (Jean Jardin, 1904-1976).*
1922.	Horace McCoy	*Un linceul n'a pas de poches.*
1923.	Chester Himes	*Il pleut des coups durs.*
1924.	Marcel Proust	*Du côté de chez Swann.*
1925.	Jeanne Bourin	*Le Grand Feu.*
1926.	William Goyen	*Arcadio.*
1927.	Michel Mohrt	*Mon royaume pour un cheval.*
1928.	Pascal Quignard	*Le salon du Wurtemberg.*
1929.	Maryse Condé	*Moi, Tituba sorcière...*
1930.	Jack-Alain Léger	*Pacific Palisades.*
1931.	Tom Sharpe	*La grande poursuite.*
1932.	Dashiell Hammett	*Le sac de Couffignal.*
1933.	J.-P. Manchette	*Morgue pleine.*
1934.	Marie NDiaye	*Comédie classique.*
1935.	Mme de Sévigné	*Lettres choisies.*
1936.	Jean Raspail	*Le président.*
1937.	Jean-Denis Bredin	*L'absence.*
1938.	Peter Handke	*L'heure de la sensation vraie.*
1939.	Henry Miller	*Souvenir souvenirs.*
1940.	Gerald Hanley	*Le dernier éléphant.*
1941.	Christian Giudicelli	*Station balnéaire.*
1942.	Patrick Modiano	*Quartier perdu.*

Impression Bussière à Saint-Amand (Cher),
le 2 mai 1988.
Dépôt légal : mai 1988.
Numéro d'imprimeur : 3878.
ISBN 2-07-038054-8./Imprimé en France.

43491